Globe-trotters en herbe

Evelyne **Boyard**

L'ISLANDE

Éditions **Belize**

La carte de l'Islande avec les lieux visités

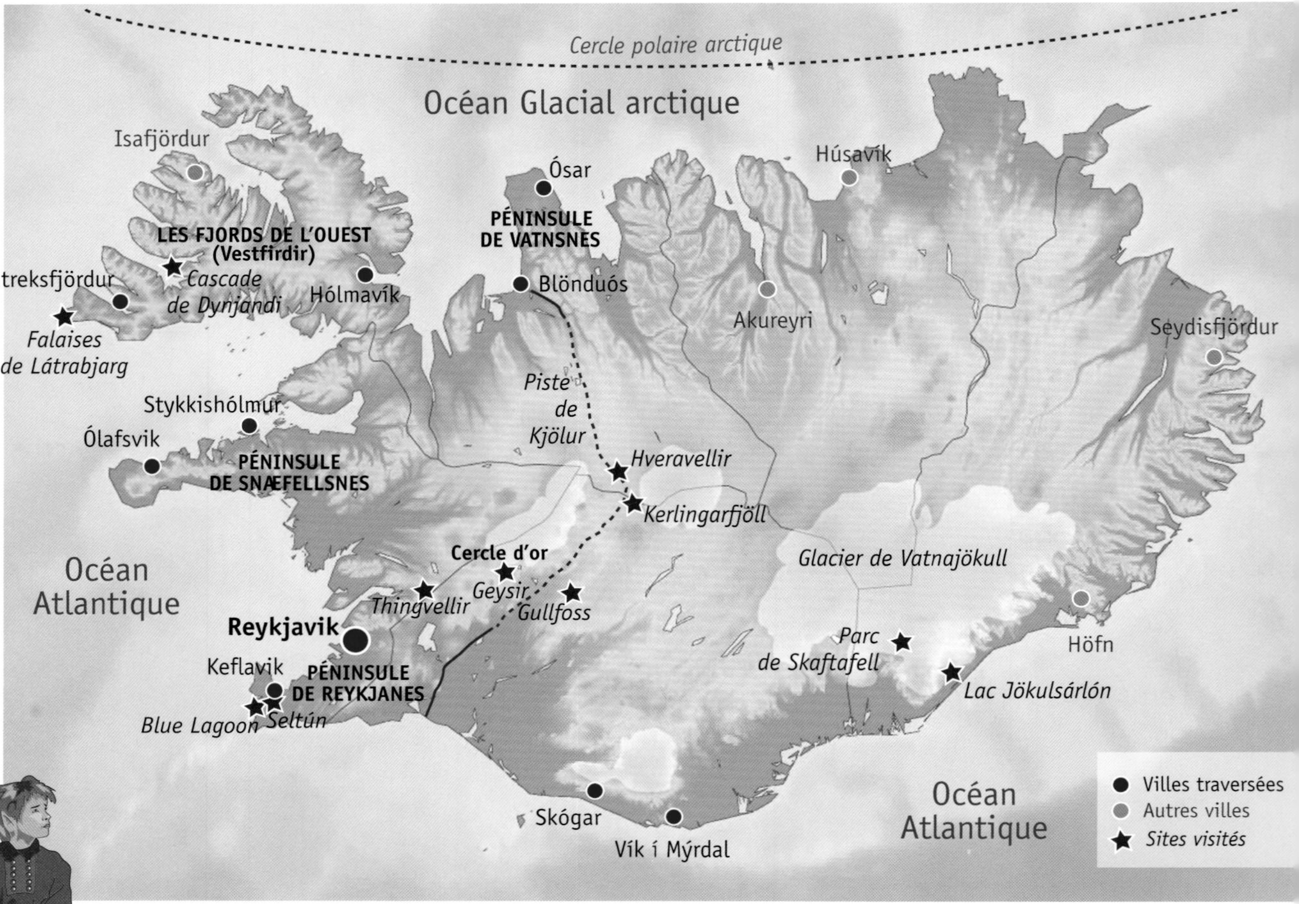

www.editions-belize.com
ISBN : 978-2-917289-51-8
N° édition : 46

Dépôt légal : janvier 2012
Textes et photos (sauf p. 15hd et 31b) : Évelyne Boyar
Conception graphique : Évelyne Boyard.
Imprimé en Italie par Papergraf, Spa (PD)

L'Islande

Cette petite île de terre et de glace, située en Atlantique Nord, est la plus jeune terre du monde, avec seulement 20 millions d'années.

Comme un enfant, elle est en pleine formation et évolue chaque jour. Elle est principalement composée de volcans et de coulées de lave figées.

Comme un enfant, elle pique parfois des colères : la dernière en date est l'éruption du volcan Grimsvötn au mois de mai 2011, mais celle dont tout le monde se souvient est l'éruption de l'Eyjaföll qui a bloqué le trafic aérien européen pendant des semaines, en avril 2010. Le pays connaît en moyenne une éruption tous les cinq ans.

Comme un enfant, l'Islande grandit. La faille dorsale qui sépare les plaques américaine et européenne s'écarte de 2 centimètres par an. L'île est donc une terre en perpétuelle évolution.

Les Islandais se sont adaptés à elle. Mieux encore, ils profitent aussi de ses richesses comme, par exemple, la géothermie : ils utilisent l'énergie des volcans pour la transformer en chaleur !

Comme des enfants, les Islandais croient aux elfes, aux trolls, aux génies… Il existe même une carte de l'habitat des elfes ! Les habitants ont si peu de voisins qu'ils ont eu sans doute besoin de créer des êtres imaginaires !

L'Islande est l'un des derniers endroits en Europe où la nature est encore reine…

Sommaire

La route qui mène à la péninsule de Snæfellsnes traverse des champs de lave, témoignages des nombreuses éruptions qui se sont produites dans la région. On est bien sur une terre volcanique !

Impossible pour nos yeux de quitter le hublot de l'avion ! Partis de Paris il y a tout juste 3 heures 30, nous voilà sur une autre planète ! Nous sommes émerveillés par le paysage infini des champs de lave et de mousses qui entourent la piste d'atterrissage.

Après avoir loué un véhicule 4x4, indispensable si on veut prendre les pistes qui traversent le pays (il y a peu de routes goudronnées en Islande), nous prenons la direction de l'ouest.

À nous les aventures au pays des Vikings et des volcans !

La péninsule de Snæfellsnes

L'Ouest, contrée de plus en plus désertée par les habitants, l'est aussi par les touristes, qui, pour la plupart, préfèrent faire le tour de l'île par la route principale n° 1.

Première étape de notre périple : la péninsule de Snæfellsnes, qu'on dit être un concentré d'Islande. Nous longeons la route côtière : dans sa partie sud, on observe d'étranges formations de basalte comme au village d'Arnarstapi ; nous traversons de nombreuses cultures et plusieurs petits ports miniatures au fond de criques. Dans les falaises, la mer a creusé des puits où se réfugient de nombreux oiseaux de mer.

Près de la ville de Grundarfjördur, voici la « montagne église », Kirkjufell s'élevant à 463 mètres de haut.

Premier contact impressionnant avec les sternes arctiques. Pour défendre leurs nids, situés à même le sol, ces grandes voyageuses n'hésitent pas à nous attaquer à coups de bec assénés après un vol en piqué et en lançant des cris d'alarme perçants ! Au mois de juin et de juillet, la saison de nidification bat son plein et les oisillons, au plumage couleur « roches », sont à peine visibles, surtout lorsqu'ils se promènent le long des pistes. C'est, pour nous, port du bonnet obligatoire !

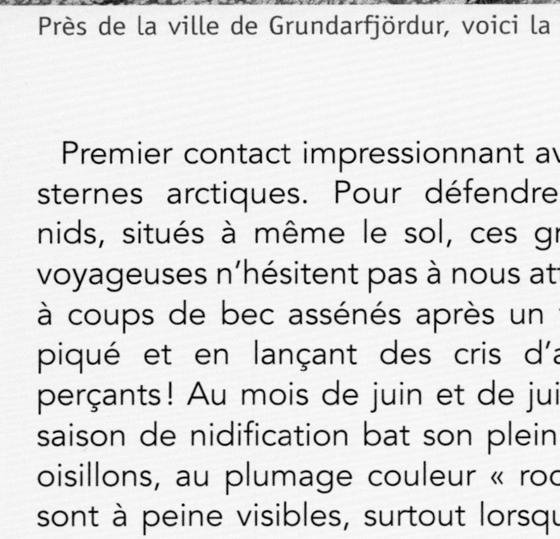

La sterne arctique est le plus grand migrateur du monde : il parcourt environ 40 000 km par an du Nord au Sud !

En continuant vers l'ouest, nous apercevons enfin le magnifique dôme de glace du volcan Snæfellsjökull, que l'on surnomme aussi le « Fujijama islandais » à cause de sa ressemblance avec le célèbre volcan japonais.

Encore actif il y a environ 2 000 ans, il est essentiellement constitué de coulées de lave refroidies qui se sont déversées le long des flancs de la montagne, et du glacier qui recouvre son sommet. Mais ce qui fit le succès de ce volcan de 1 446 m, mis à part sa beauté naturelle, est dû au célèbre écrivain français Jules Verne qui situa le cratère comme point de départ de son roman aussi mondialement célèbre, *Voyage au centre de la Terre*.

La péninsule de Snæfellsnes est devenue parc national en juin 2001.

Pour atteindre les fjords de l'Ouest, nous prenons le ferry à Stykkishólmur, dont le port donne sur la large baie de Breidafjördur et ses innombrables îlots.

La traversée est superbe ! Bien couverts sous nos fourrures polaires, écharpes et gants (même en été !), on admire le vol d'une grande variété d'oiseaux – canards eiders, macareux moines, fulmars boréaux, sternes… – qui se faufilent entre les nombreuses îles de la baie. Petit arrêt sur l'île de Flatey avant de rejoindre Brjánslækur, point de départ des Vestfirdir, les fjords de l'Ouest. Flatey est réputée pour le nombre de ses oiseaux et pour ses jolies maisons de bois coloré.

Un volcan célèbre dans le monde entier

Jules Verne, écrivain célèbre du XIXe siècle, publie en 1864 le roman *Voyage au centre de la Terre*.
Même si l'auteur n'a jamais mis les pieds en Islande, il déborde d'imagination et s'intéresse aux sciences, dont la géologie. Il situe le commencement de son histoire sur cette île.
Les héros débutent leur incroyable voyage en pénétrant dans le cratère du Snæfellsjökull.
Le roman fut un très grand succès et Jules Verne, sans le savoir, fut le premier à inciter les touristes à visiter cette contrée reculée.
Encore aujourd'hui, les excursions vers le sommet de la montagne sont assez fréquentes. Le parc national Snæfellsnes, dont le volcan en est le centre, est devenu une des régions les plus touristiques du pays.

Les fjords de l'Ouest sont un peu boudés par les touristes, car ils sont difficiles d'accès. Pourtant, cette région du bout du monde vaut vraiment le détour !

Au fond du fjord d'Arnafjördur, Dynjandi, la perle des fjords de l'Ouest. Elle étale son Voile de mariée sur un escalier de basalte de 100 mètres de haut.

Superbe rencontre avec le renard polaire dans le nord-ouest du pays, qui en abrite le plus grand nombre en Islande. Pas facile de le repérer dans cet environnement de roches et de mousses !

Les Vestfirdir

La région des fjords de l'Ouest est une péninsule montagneuse aux côtes déchiquetées, où se blottissent quelques petits villages de pêcheurs. Mais d'année en année, les habitants quittent cette région très isolée et aux hivers impitoyables (sa partie nordique n'est qu'à 280 kilomètres du Groenland !). Et c'est dommage, car qu'elle offre des paysages extraordinaires et grandioses.

On y rencontre plus d'oiseaux que d'hommes ! Certains jours, on ne croise pas une seule voiture de toute la journée !

Arrêt obligatoire, même sous une pluie glaciale, à Dynjandi, la plus grande cascade des fjords de l'Ouest.

On poursuit notre route jusqu'à Thingeyri où a lieu chaque année en juillet une grande fête viking. Mais le temps de franchir les cols – on est ici dans les « Alpes islandaises » – et sur une piste détrempée, on arrive trop tard ! On a juste le temps de croiser quelques Vikings en costume traditionnel.

Depuis des siècles, les Islandais récoltent les duvets des eiders garnissant les nids pour les oreillers, les édredons ou les vêtements. Le mot « eider » vient de l'islandais *aedhar* qui signifie « édredon ». L'eider est le plus grand canard de l'hémisphère Nord. Il vit en colonies nombreuses le long des côtes.

Impression de bout du monde, surtout avec un ciel aussi tourmenté ! Une trouée de lumière éclaire les falaises.

Les falaises

De mai à août, les macareux moines, appelés *lundi* en islandais, reviennent sur leur lieu de nidification où le couple, uni pour la vie, pondra un unique œuf.

Gare au vertige !

Pour atteindre les falaises de Látrabjarg, le point le plus à l'ouest de l'île… et de l'Europe, on prend une piste et ô surprise ! on longe des plages de sable doré, rarissimes en Islande, le pays du sable noir. Les 60 kilomètres de piste sinueuse à parcourir depuis le village de Breidavik nous semblent interminables, même si les paysages sont somptueux. C'est que nous avons rendez-vous avec des millions d'oiseaux, en particulier le macareux moine, qui est devenu le symbole de l'Islande, adorable boule de plumes au bec coloré, surnommé aussi le « clown de mer ».

Les falaises s'étendent sur 14 km et leur hauteur peut s'élever jusqu'à 440 m. Elles sont encore un des rares endroits où il est possible

de Látrabjarg

Les guillemots pondent un unique œuf à même la falaise. Ils ont pour voisins les pingouins tordas. C'est l'Islande qui accueille la plus grande colonie au monde de ces oiseaux.

d'observer les oiseaux d'assez près. Mais pas de chance, le jour de notre visite un vent glacial s'est levé, nous empêchant d'approcher les bords de falaise, qui peuvent vite devenir glissants et très dangereux lorsqu'il a plu.

On surprend tout de même quelques volatiles courageux devant leur terrier – le macareux moine fait son nid à l'intérieur d'un terrier profond qu'il a creusé – et on admire le ballet que font les fulmars boréaux et les mouettes dans le vent.

Chaque corniche, chaque espace sont occupés par des dizaines d'oiseaux qui braillent, pépient, se chamaillent dans un concert assourdissant! La pluie a malheureusement redoublé et nous oblige à quitter avec regret ces lieux de vie si exceptionnels!

Sieste collective des phoques veaux-marins ou communs sur la plage de sable noir d'Ósar.

Nous quittons les falaises découpées et les fjords profonds des Vestfirdir pour rejoindre une région un peu délaissée par les touristes sauf pour ceux qui, comme nous, désirent rendre visite à la plus grande colonie de phoques de l'Islande : la péninsule de Vatnsnes. Située au nord, aux portes des fjords de l'Ouest, elle est facilement accessible par la route circulaire, puis une petite route qui en fait le tour. C'est une contrée verdoyante, au relief doux, et le refuge de nombreux animaux : moutons, chevaux, oiseaux et phoques, bien sûr !

La péninsule de Vatnsnes

Pour les observer, il faut remonter à la pointe de la péninsule, tout au nord. Face à l'auberge de jeunesse Ósar, un chemin descend vers la plage et l'on découvre une belle colonie de phoques se prélassant sur le sable noir de l'autre rive. On a du mal à quitter cet endroit magique, bordé par le massif encore enneigé de Laxárdalsfjöll. C'est notre premier contact avec l'océan Arctique !

Les phoques sont farouches mais aussi très curieux. Si tu ne fais pas de bruit ou de mouvements trop brusques, ils s'approchent petit à petit, en sortant subrepticement la tête hors de l'eau.

On goûte au silence, uniquement troublé par les cris

Pelouses vert fluo, rochers et plage gris cendré, mer du Groenland argentée et massif bleuté de Laxárdalsfjöll, belle palette de couleurs islandaises !

des sternes et le clapotis des vagues sur les rochers.

De la plage d'Ósar émerge des flots une étonnante arche de basalte, Hvítserkur (« la chemise blanche »). On décide d'aller la voir d'un peu plus près. Un sentier battu par les vents et les herbes folles nous amène sur une petite terrasse en surplomb du gros rocher. Avec ses 15 mètres de hauteur et une base érodée par les vagues, Hvítserkur ressemble à un monstre préhistorique. Mais il est surtout un abri pour des centaines d'oiseaux qui l'ont recouvert de guano (excréments).

L'arche de Hvitserkur serait un troll transformé en pierre par le soleil levant alors qu'il s'apprêtait à accomplir quelques méfaits.

Qu'est-ce qu'une aurore boréale ?

© Senior Airman Joshua Strang

Une aurore boréale est un phénomène produisant des drapés lumineux très colorés dans les cieux nocturnes, le vert étant la couleur la plus fréquente. Elle est générée par les particules chargées du vent solaire dans les régions proches des pôles, c'est-à-dire au-delà de 65° de latitude.
En effet, le soleil rejette une multitude de particules – les protons et les électrons – en grande quantité et à très grande vitesse. Elles voyagent jusqu'à la Terre grâce aux vents solaires.
Deux gaz sont à l'origine des couleurs : l'azote et l'oxygène. L'azote apporte des couleurs bleues et rouges et l'oxygène des teintes vertes et rouges.
Tout se passe comme dans un tube néon : les atomes qui composent les différentes couches de l'atmosphère entrent en fluorescence sous l'effet des vents solaires à haute énergie.
La durée du phénomène, comme la luminosité, est très variable, mais il dure rarement plus de dix minutes.

Les monts Kerlingarfjöll. On accède au site par un petit détour sur la piste de Kjölur, au-dessus du camping. Au fond de cette gorge étroite, on aperçoit le torrent Ásgarosá.

On quitte la ville de Blönduós pour s'aventurer dans l'intérieur du pays, inhabité. C'est un désert minéral, composé de lave, de roches, de sable, entouré de glaciers. Il y a peu de fleurs, pas d'arbres. Le brun des roches a remplacé le vert de l'herbe. Pour traverser les hautes terres, le véhicule 4x4 est obligatoire, car une voiture de tourisme peut s'abîmer en roulant sur la piste caillouteuse. On se sent tout petit dans ces contrées sauvages, mais les paysages sont si magnifiques qu'on en oublie vite son isolement !

La piste de Kjölur

On ne doit pas quitter le chemin en été, sinon on risquerait d'abîmer, avec les pneus de la voiture, les rares plantes qui poussent dans ce désert déjà très fragile.

Roulant à 30 km/h, on a tout le temps d'admirer les deux glaciers Hofsjökull et Langjökull, situés de part et d'autre de la piste. Mais avant d'arriver à notre campement, dans les monts Kerlingarfjöll – les « montagnes des sorcières » –, arrêt obligatoire aux sources chaudes de Hveravellir !

Le massif des Kerlingarfjöll. Ce nom signifie les « montagnes des sorcières » : les fumerolles qui se dégagent des sources sulfureuses font penser aux chaudrons des sorcières ! Pendant longtemps, les Islandais n'ont pas osé s'aventurer dans l'intérieur de l'île. Ils craignaient les esprits malfaisants comme les trolls ! L'endroit est certes irréel avec toutes ces couleurs incroyables, ocre, rouge, jaune, mauve et blanc des névés (neige qui reste même en été), et où les fumerolles recouvrent les collines brûlées.

Le site géothermique de Hveravellir

Il y a beaucoup de choses à visiter à Hveravellir : des petits geysers comme Öskurhólshver, des sources chaudes – Bláhver en est une des plus belles avec son bleu intense (la couleur est due à la réflexion de la lumière sur les paillettes de verre [silice] en suspension dans l'eau), ses rivières d'eau chaude et ses marmites de boue.

Comme l'endroit est très fragile, et pour éviter de se brûler les pieds, les Islandais ont tout prévu : on marche sur des passerelles en bois pendant la visite. Mais ils n'ont pas pu empêcher l'odeur d'œuf pourri qui se dégage partout : c'est l'odeur de l'hydrogène sulfuré qui s'échappe des vapeurs !

Nous ne l'avons pas essayé, faute de temps, mais on peut se baigner dans une piscine naturelle (en anglais, *hot pot*) à Hveravellir. Elle est alimentée par les sources d'eau chaude. Il suffit d'avoir un peu de courage (et de rapidité !) pour

enfiler son maillot de bain avec une température extérieure qui dépasse rarement les 12 °C – sans compter le vent, toujours présent en Islande. Mais une fois qu'on est plongé dans l'eau, c'est un vrai délice !

On est comme des cosmonautes explorant une nouvelle planète !

Le volcan en miniature Öskurhöll a formé un dôme qui crache un jet de vapeur soufrée avec pour arrière-plan le bassin bleu de Bláhver. On le nomme le « Souffleur ». Il émet des bruits étranges de « pschitt » et sent bien l'œuf pourri. Les marmites de boue liquide, quant à elles, glougloutent. Atmosphère inquiétante mais fascinante ! Un conseil : ne t'approche pas trop près, tu peux te brûler gravement. Reste bien sur les pontons de sécurité !

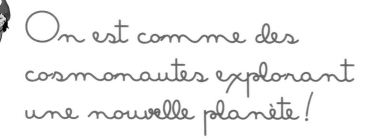

Sais-tu parler « volcan » ?

Un **geyser** est une source d'eau chaude qui jaillit par intermittence en projetant de l'eau et de la vapeur à haute température et à haute pression . Le mot « geyser » est islandais. Il provient d'un geyser qui se nomme Geysir, situé dans le sud de l'Islande.

La **mare de boue** est un petit lac d'eau bouillonnante, composé de sédiments comme le soufre ou l'argile, et qui a une température élevée. Comme une casserole d'eau chaude portée à ébullition, la surface d'une mare de boue fait remonter des bulles de gaz. C'est une manifestation active typiquement volcanique.

La **géothermie** désigne une énergie issue de celle de la Terre et qui est convertie en chaleur.

Une **source chaude** est un bassin dont l'eau qui sort du sol est à une température élevée. Elle est chauffée par un processus géothermique.

Une **fumerolle** est un petit panache de vapeur sortant de terre, généralement près d'un volcan ou sur une zone volcanique. Sa température varie de 100 °C à plus de 500 °C.

Une **solfatare** est une fumerolle d'où s'échappe du soufre.

En quittant la piste des Kerlingarfjöll pour rejoindre la piste Kjölur, on peut admirer d'en haut le delta que forme la rivière Hvítá. Les immensités sauvages des hauts plateaux de l'intérieur sont splendides, même si la végétation y est quasi absente.

Cap au sud !

Après des nuits réparatrices passées au campement des Kerlingarfjöll, loin de toute civilisation, nous reprenons la piste Kjölur direction le sud ! Il fait très beau, à la différence des jours précédents où le vent glacial et la pluie nous ont accompagnés. Le temps est très capricieux et change vite en Islande. Ne dit-on pas que si la météo ne te plaît pas, attends cinq minutes ?

Sur la route, nous admirons d'un peu plus près la calotte glaciaire du Langjökull. Et ô surprise ! Un enclos de chevaux islandais, perdu au milieu de ce désert de lave ! Ils sont magnifiques avec leurs belles crinières de différentes couleurs toujours au vent ! Ils sont un peu nerveux et excités, car ils ont peu d'espace pour bouger dans le corral en attendant d'être montés par les touristes. Autrefois, les Islandais traversaient l'intérieur du pays en caravanes de chevaux. Aujourd'hui, les randonnées équestres ont fait place à ces convois.

Le cheval islandais est un animal doux, docile, courageux et résistant (il en faut pour vivre sur ces terrains difficiles et sous le climat de l'île !). Souvent confondu avec un poney à cause de sa petite

taille (il fait moins de 1,50 m au garrot), il a une particularité par rapport aux autres chevaux du monde : il a cinq allures au lieu des trois habituelles, le *tölt* et l'amble en plus. Ce sont des pas très rapides, entre le trot et le galop. La race des chevaux islandais est pure : une fois que l'animal quitte le pays, il n'a plus le droit d'y revenir. Pourquoi ? Pour éviter qu'il contamine les autres chevaux de maladies qui n'existent pas en Islande ! Ils passent tout l'été en liberté dans les montagnes. À l'automne, ils sont rassemblés dans les enclos pour le tri et l'hiver, ils restent à la ferme.

Après cette halte, on quitte la piste pour rejoindre les sites les plus connus et les plus fréquentés de l'Islande, regroupés sous le nom de « Cercle d'or ». Ce retour à la civilisation, après cet « exil » dans le désert intérieur, nous désoriente un peu !

La piste de Kjölur n'a été redécouverte qu'au début du XXe siècle. Les Islandais l'ont balisée de cairns – des monticules de pierres redressées – pour guider les voyageurs. L'un d'eux est immense, tellement immense que si tu veux déposer une pierre, comme le veut la tradition à chaque passage, tu dois la lancer !

La cascade de Gullfoss. Les flots sont si puissants que si tu t'approches de près, c'est la douche obligatoire !

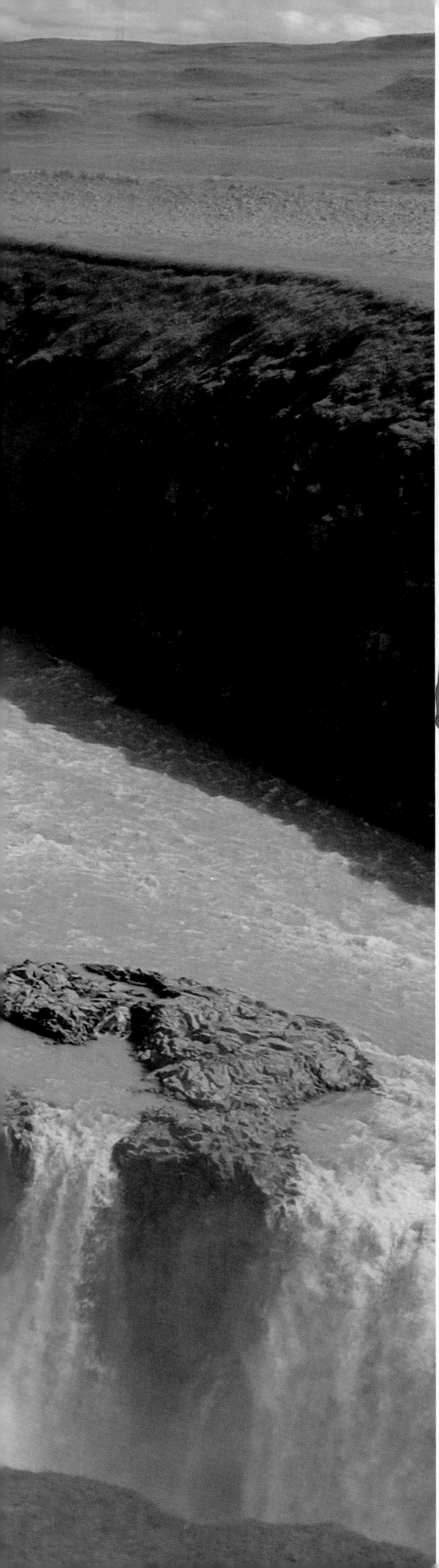

Le Cercle d'or regroupe trois sites naturels exceptionnels : Thingvellir, une impressionnante faille à ciel ouvert, qui est inscrit au patrimoine mondial de l'Humanité par l'Unesco en 2004 ; la puissante cascade Gullfoss et la zone thermale de Geysir. Même si ces trois lieux sont très touristiques (le nombre de personnes présentes reste tout à fait supportable, ce n'est pas non plus la tour Eiffel !), il est indispensable de faire ce circuit puisqu'il est un concentré des phénomènes naturels de l'Islande.

Le Cercle d'or

En sortant de la piste Kjölur, on aperçoit déjà les vapeurs dégagées de la chute de Gullfoss. On imagine alors la puissance de ses flots !

Gullfoss

Gullfoss signifie en islandais « chute d'or » : par beau temps, on peut admirer un arc-en-ciel dans les embruns de la cascade. Un sentier nous mène aux différents paliers de la chute. Attention : on est trempés par les vapeurs d'eau (imperméable obligatoire) ! Au premier palier, on assiste à un saut de 11 mètres de haut, au deuxième, de 21 mètres, avant que les eaux de la rivière Hvítá viennent s'engouffrer dans un canyon de plusieurs dizaines de mètres, le tout bordé de colonnes basaltiques

Après s'être promené le long de cette faille, on a une vue imprenable sur le lac, à droite, et sur la jolie petite église de Thingvellir, son cimetière et la ferme adjacente, à gauche. C'est à Thingvellir que fut proclamée l'indépendance de l'Islande, le 17 juin 1944.

(le basalte est une roche noire d'origine volcanique).

Au début du XXe siècle, Gullfoss a été menacé par un projet de barrage hydroélectrique. Une histoire populaire raconte que c'est grâce à la volonté et au courage d'une jeune paysanne de la région, Sigridur Tómasdóttir, qui menaçait de se jeter dans la chute que le projet fut abandonné. Depuis lors, Gullfoss est un site protégé et propriété de tous les Islandais !

Thingvellir

La visite de Thingvellir est incontournable pour deux raisons. La première est d'ordre géologique. En effet, on peut observer de nombreuses failles, dont la plus longue fait 7,7 km, qui sont la conséquence de la séparation des plaques tectoniques américaine et européenne. Chaque rive se trouve sur une plaque différente, et les tremblements de terre y sont fréquents. Le centre de Thingvellir est occupé par le lac de Thingvallavatn, le plus grand lac naturel d'Islande. Il est alimenté par des sources souterraines aux eaux limpides et pures.

La deuxième raison pour visiter Thingvellir est d'ordre historique. Les premiers habitants du pays y fondèrent en 930 le premier Parlement, l'*Althing*, où toutes les grandes décisions politiques du pays furent prises. Il fut aussi le théâtre des grandes sagas islandaises, ces récits épiques en prose qui content les aventures de héros de leur naissance à leur mort, œuvres célèbres dans toute l'Islande.

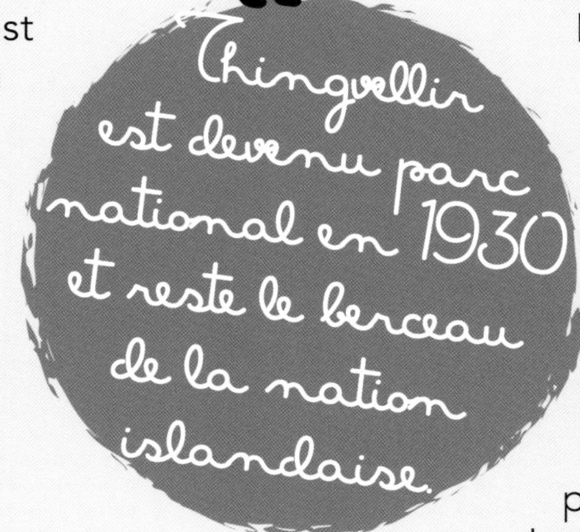
Thingvellir est devenu parc national en 1930 et reste le berceau de la nation islandaise.

Geysir

Le site géothermique de Geysir est le plus connu d'Islande et facilement accessible. Lorsque l'on arrive sur la zone, il y a déjà du monde, formant un cercle, les yeux rivés au centre, attendant un quelconque événement géothermique. Mais lequel ? Et puis soudain, une incroyable bulle bleu turquoise se forme à la surface, puis explose en envoyant dans les airs un panache d'eau et de vapeur qui monte jusqu'à 25 mètres ! Incroyable ! Ce geyser se nomme Strokkur, c'est le voisin du Geysir, le plus grand geyser du monde, mais ce dernier est capricieux : il jaillit de façon irrégulière alors que le Strokkur est régulier comme un métronome : il explose toutes les sept minutes en moyenne. Comme on a la possibilité

1. Arrivée des bulles de gaz : la surface est en ébullition. 2. La bulle d'eau bleue explose hors du conduit du geyser.

Geysir, le geyser islandais, a donné son nom à tous les autres. Il signifie en islandais « celui qui jaillit ».

de s'approcher très près de la bouche du geyser, il faut prendre garde aux retombées d'eau bouillante (100 °C) !

Ce qui fait surtout sa particularité, c'est sa bulle bleue de 1,50 mètre de diamètre qui se forme à la surface juste avant l'explosion. Aucun autre geyser ne fait cela. On en reste ébahi !

Mais on n'est pas au bout de nos surprises : au-dessus du Strokkur, on observe deux magnifiques bassins : les bassins de Blesi. Même s'ils possèdent la même eau, ils n'ont pas les mêmes couleurs : l'un est bleu électrique, l'autre est plus transparent. La couleur bleue provient de la réflexion de la lumière sur les paillettes de silice (avec laquelle on fabrique le verre) en surface. La différence de teinte s'explique par la différence de quantité de paillettes entre les bassins et par les variations de température de l'eau. Sur le site, on trouve également des marmites de boue et des sources chaudes.

3 et 4. Ascension de la colonne de vapeur et d'eau liquide, propulsée jusqu'à 25 mètres de hauteur. C'est la phase de vidange.

Du grand spectacle toutes les sept minutes !

Les bassins de Blesi.

La cascade Seljalandsfoss. Vois-tu les promeneurs sur le sentier qui passe derrière la chute d'eau ?

Après ce bain de foule au Cercle d'or, nous logeons la côte sud en direction de l'est.

Nous voulons rejoindre le petit village de Skógar. Ce n'est ni pour ses 25 habitants ni pour ses quelques fermes et hôtels que l'on veut faire halte, mais pour ses deux attraits touristiques : la puissante cascade de Skógafoss et le musée folklorique, un des plus intéressants d'Islande.

Autour de Skógar

Skógar est situé au pied du glacier Eyjafjallajökull, là où a eu lieu, en avril 2010, l'éruption du volcan. Heureusement, les Islandais sont très réactifs (car habitués !) face aux colères de la nature : lors de notre passage, le village était nettoyé de ses cendres et l'herbe repoussait déjà.

Skógar est aussi le point de départ d'un des plus célèbres treks (randonnées) islandais à faire sur plusieurs jours : Thórsmörk-Landmannalaugar.

Skógafoss

Une des caractéristiques de l'Islande est le nombre impressionnant de ses cascades, aussi spectaculaires les unes que les autres.

Skógafoss, visible depuis la route principale, est une chute d'eau de 60 mètres de hauteur qui déroule un rideau d'eau impressionnant.

La cascade Skógafoss.

Difficile de s'en approcher sans être certain d'en revenir trempé ! Sur le côté de la cascade, un sentier abrupt permet d'atteindre le sommet où on a une vue magnifique sur les monts verdoyants entre les glaciers Mýrdalsjökull et Eyjafjallajökull. Quand le soleil est au rendez-vous, on peut admirer un arc-en-ciel entre les gouttelettes !

Une légende raconte qu'un coffre e trouverait derrière la cascade, léposé naguère par un Viking. .a chasse au trésor est ouverte !

Seljalandsfoss

Cette chute d'eau de 40 mètres est située à une vingtaine de kilomètres de Skógafoss. Si on a eu la chance (ou la malchance !) de ne pas s'être trempé à la première cascade, difficile cette fois de l'éviter ! En effet, Seljalandsfoss a une particularité : on peut passer derrière le rideau d'eau et faire le tour complet de la cascade en empruntant un petit sentier ! Magique !

© Ulrich Latzenhofer

L'Islande, un point chaud ?

L'Islande est un point chaud de notre planète, c'est-à-dire qu'une cheminée de magma remonte du centre de la Terre, juste sous l'île, comme à Yellowstone, dans l'Ouest américain.
En avril 2010, l'Islande et son volcan au nom imprononçable font la une des médias de la planète.
De la faille tout juste ouverte du volcan Eyjafjoll jaillissent des fontaines de lave. Elles font fondre le glacier qui recouvrait le volcan et provoquent des panaches de fumée, de cendres et de gaz.
Par précaution, les aéroports sont fermés. Mais l'éruption est faible en intensité par rapport à d'autres volcans, plus terribles les uns que les autres !
Ainsi, l'explosion du volcan Laki, qui eut lieu entre juin 1783 et février 1784, fut si forte qu'elle provoqua une immense nappe de brouillard qui refroidit l'Europe et provoqua la famine. On dit que cet événement fut à l'origine de la Révolution française !
Le Katla est considéré comme le volcan le plus dangereux de l'Islande : il a une caldeira (chaudron) qui fait 14 kilomètres de diamètre ! Quant à l'Hekla, il est imprévisible : il ne donne aucun signe d'éruption avant d'exploser !

Le musée Skógar

Ce musée est divisé en deux parties : l'un est un écomusée (musée qui met en valeur le patrimoine et les métiers d'un pays, par exemple) (*Skógasafn*), l'autre est consacré aux transports et aux télécommunications.

Au cours de cette visite, on découvre plus de 6 000 objets, dont une Bible qui fut imprimée en 1584, des selles de chevaux, des statuettes, des bijoux, des vêtements, des tapisseries ou des ustensiles de cuisine. Grâce à tout ce « bric-à-brac », on en apprend un peu plus sur la vie des Islandais d'autrefois. Il y a même une salle consacrée aux animaux présents sur l'île, avec une belle collection d'œufs ! Dans une autre pièce du musée trône un bateau en chêne. Autour de lui, que des objets liés à la pêche, comme ces étonnantes moufles à deux pouces. Pourquoi deux pouces ? Les marins partaient souvent longtemps en mer, et si leurs

moufles étaient usées, ils pouvaient utiliser l'autre face !

Le musée des Transports et Télécommunications est aussi varié ! De l'équipement de randonnée en passant par les premiers bateaux à moteur, les voitures ou motos anciennes, le matériel de construction routière, on explore aussi le développement des services postaux, l'électrification et les premiers services de télécommunication, ainsi que l'histoire du sauvetage.

Après la visite, on prend l'air frais pour explorer l'habitat traditionnel islandais. En effet, plusieurs fermes au toit d'herbe et de tourbe, une église, une ancienne école et quelques maisons ont été restaurées et déplacées à Skógar. Par chance, nous avons croisé Thordur, le conservateur et créateur du musée en 1949. Il chantait dans la petite église. C'est un personnage étonnant et qui est fier de son musée !

Une bonne soupe à la cafétéria du musée et nous sommes fin prêts pour la suite de nos aventures islandaises !

Plus de 5000 marins français, surtout bretons, sont partis pêcher la morue en Islande entre 1850 et 1914. L'écrivain français Pierre Loti s'est inspiré de leur histoire, pour écrire son roman « Pêcheur d'Islande ».

▲ Le cap de Dyrhólaey.

La plage de Vik et son église. ▼

Le cap de Dyrhólaey est situé au point le plus au sud de l'Islande.

Un couple de fulmars boréaux. Pour se défendre, l'oiseau projette sur son adversaire un liquide jaune nauséabond qu'il avait régurgité.

Autour de Vík í Mýrdal

Avant d'atteindre le village de Vik, nous décidons de faire un petit détour vers le cap de Dyrhólaey, une petite péninsule dont les imposantes falaises et leur arche ressemblent à celles d'Étretat, en Normandie. Le cap est situé au point le plus au sud de l'Islande.

Le site est aussi une réserve naturelle où l'on observe des milliers d'oiseaux, mais il est fermé au public d'avril à juin afin de ne pas déranger la nidification. Un phare domine la mer et guide les bateaux par mauvais temps. De là-haut, nous avons un panorama superbe sur les plages de sable noir de Vik et sur les aiguilles de lave noire du Reynisdrangar.

Il paraît que la plage de Vik est classée parmi les dix plus belles du monde. Allons voir cela de plus près !

L'arrivée sur le village est très chouette. La jolie petite église au toit rouge, située sur une colline bien verte, domine le hameau. Avec sa longue plage de sable noir et ses hautes falaises basaltiques, la présence de trois aiguilles rocheuses – les Reynisdrangar (« Rochers des trolls ») –, au milieu des flots, le vol des mouettes et des macareux moines, on comprend mieux que le site soit classé parmi les plus beaux ! Cependant, il ne faut pas compter sur nous pour se baigner : l'eau y est très froide et les vagues puissantes !

Par chance, il fait beau à Vik, profitons-en, car c'est le lieu le plus pluvieux d'Islande !

La légende raconte que les Reynisdrangar seraient des anciens trolls qui voulaient ramener sur la plage un bateau trois-mâts gigantesque qui venait d'échouer. Mais occupés à leur besogne, ils furent surpris par l'aube hors de leurs cavernes et furent pétrifiés.

Le parc national

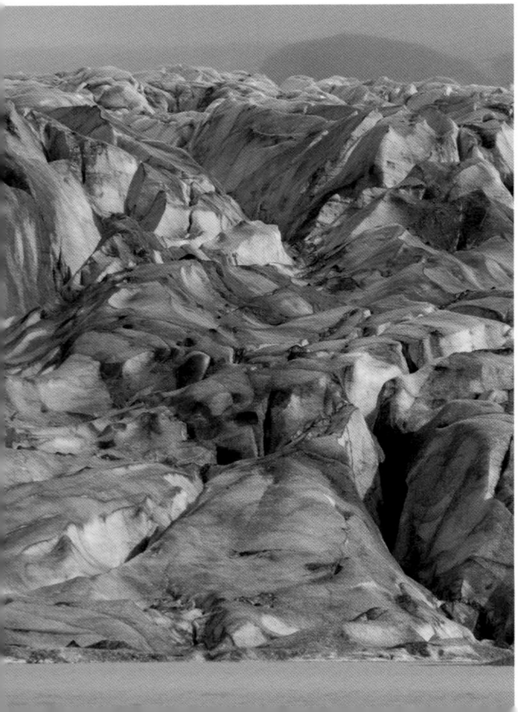

Le glacier Skaftafellsjökull.

Nous continuons notre route vers l'est. Le parc national de Skaftafell est situé au pied du plus grand glacier d'Islande, le Vatnajökull. Rends-toi compte : il est de la taille de la Corse, avec 1 kilomètre d'épaisseur de glace par endroits !

Dans le parc, de nombreux glaciers sommeillent, comme le Grimsvötn, le volcan le plus actif. Les éruptions sous un glacier sont dangereuses : la lave fait fondre la calotte glaciaire. Soit de la vapeur d'eau et de cendres remonte à la surface, soit des coulées d'eau importantes dévalent les pentes du volcan en emportant tout sur leur passage : c'est ce qu'on appelle le *Jökulhlaup*.

Le parc de Skaftafell est entouré de langues glaciaires qui protègent la région des intempéries. Contrairement à

de Skaftafell

Le parc de Skaftafell est un mélange harmonieux de prairies et de glaces. Photo faite le soir tard : vive le soleil de minuit, l'été, en Islande !

Vik, elle est la contrée la plus ensoleillée du sud de l'île. Il y a de nombreuses randonnées à faire dans le parc, comme celle qui mène à Svartifoss, une magnifique cascade entourée d'orgues basaltiques. Nous voulons nous approcher des langues glaciaires et partons d'abord pour le Skaftafellsjökull. Le sentier qui y mène est entouré de verdure et il y fait bon, mais au fur et à mesure que l'on approche du glacier, la température baisse nettement !

On prend ensuite une piste pour arriver au pied du glacier Svinafellsjökull. C'est très impressionnant de voir d'aussi près ses séracs striés de moraines noires ! On se sent tout petit !

Des randonnées sur les glaciers et même des escalades sur glace sont possibles. À cause du réchauffement climatique, les glaciers sont en nette régression.

La langue glaciaire de Svinafellsjökull.

Le lac Jökulsárlón est l'un des plus profonds d'Islande (200 mètres de profondeur). Son nom signifie « lagon du glacier ». Sais-tu qu'on n'aperçoit qu'un dixième de la masse d'un iceberg à la surface de l'eau ? Quand le bloc de glace est suffisamment petit, il passe le chenal entre le lac et la mer pour venir s'échouer sur la plage noire.

Jökulsárlón

Le lac glaciaire aux icebergs bleus

Attention les yeux ! Nous arrivons à l'un des endroits les plus magiques de l'île ! Le Jökulsárlón est le plus célèbre et le plus grand des lacs glaciaires en Islande. Mais il est aussi le plus beau lac de ce type. Pourquoi ? Grâce à la multitude d'icebergs aux couleurs et aux formes variées qui flottent à sa surface.

Jökulsárlón s'est formé à partir de 1930 avec le début de la dislocation du glacier de Breidamerkurjökull. Il se trouve au sud du glacier Vatnajökull, près du parc national de Skaftafell.

Les blocs de glace se détachent du glacier et forment une lagune reliée à la mer par un court chenal. Les icebergs ont des couleurs magnifiques : les bleus turquoise ou foncé ont plus de 2 000 ans ! Ils sont noirs quand ils sont recouverts de cendre des volcans, ou blancs lorsque la glace, au contact de l'air, devient laiteuse au fil des ans.

À marée basse, les icebergs sont aspirés au large pour rejoindre l'océan. Fréquemment, ils s'échouent sur la plage de sable noir.

La mer entre chaque jour un peu plus dans le chenal, ce qui a pour conséquence de réchauffer le lac et de grignoter petit à petit la langue glaciaire. C'est triste pour le glacier, mais c'est si beau pour nous !

La faune du lac

Aux abords, on observe des phoques qui jouent à cache-cache entre les blocs de glace mais aussi des oiseaux comme les canards eiders, les sternes arctiques et les goélands. Toute cette faune apprécie les harengs, capelans et autres petits poissons de l'Atlantique Nord. Les grands labbes surveillent de près les poussins des autres volatiles, ce sont les pirates de la mer.

Le lac a servi de décor à des films comme « James Bond », « Batman » ou « Lara Croft ».

Sur le lac Tjörnin, de nombreux goélands viennent profiter des touristes qui leur jettent du pain. Cela change de leur régime de poissons !

On reprend la route circulaire en longeant la côte sud pour rejoindre la capitale et… la civilisation !

Mais Reykjavik est restée à « taille humaine », même si plus du tiers de la population de l'île y réside. Nous nous dirigeons vers le cœur historique de la capitale et en particulier le lac Tjörnin, réputé pour le nombre d'oiseaux qui s'y baignent et par les jolies maisons en bois coloré qui entourent le plan d'eau.

Reykjavik
la capitale

D'après les écrits anciens, Reykjavik a été fondée par Ingólfur Arnarson, un Viking venu de Norvège avec sa famille (on peut voir sa statue qui domine le port). L'île fut très vite colonisée et ce fut l'âge d'or des grandes aventures maritimes, des conquêtes vers le Groenland ou l'Amérique du Nord (cinq siècles avant Christophe Colomb !), à l'aide de drakkars menés par Erik le Rouge ou son fils Leifur Eiriksson.

Sur les quais qui longent la baie de Reykjavik, on admire Sölfarid, une sculpture d'un drakkar en aluminium stylisé.

L'église de Hallgrímskirkja,
la plus grande église d'Islande.

Reykjavik est à la fois une cité très moderne, comme on peut le voir avec l'église de Hallgrímskirkja, ou plus traditionnelle avec ses petites maisons aux parois de tôle colorée. La ville est à l'image des Islandais : à l'écoute du monde – le pays détient le record d'internautes et est suréquipé en téléphones mobiles –, mais leur langue d'origine n'a quasiment pas évolué, contrairement aux autres langues nordiques. L'Islande est un pays tout en contrastes !

Reykjavik signifie la « baie des fumées », car il y a longtemps les vapeurs des sources chaudes y étaient nombreuses.

Lors d'une excursion « safari-baleine », le guide repère d'abord un banc de poissons grâce à un attroupement d'oiseaux de mer qui s'en nourrissent. Il est ainsi sûr qu'une baleine sera présente aussi aux alentours pour participer au festin !

La fin de la chasse à la baleine ?

Jusqu'en 2006, la chasse était autorisée en Islande pour des raisons « scientifiques » puis pour des raisons « commerciales ». Les prises de baleines de Minke (rorquals communs) ont alors considérablement augmenté. Mais depuis cette année, la chasse a été interrompue. Pourquoi ?
Les consommateurs ne veulent plus manger de la baleine pour des raisons écologiques, surtout les jeunes qui veulent préserver les espèces menacées comme celle-ci ;
pour des raisons de santé (la viande est contaminée par le mercure, métal lourd polluant trouvé en grande quantité dans tous les océans) ; les usines de traitement de la baleine sont situées au Japon (principal consommateur de cétacés) et depuis le tsunami qui a frappé le pays en mars dernier, elles ne peuvent plus fonctionner. De plus, l'Islande est devenue un pays phare du « Whale-watching », l'observation des cétacés, comme dans la baie de Reykjavik ou à Húsavík, dans le nord de l'île.
Cette activité apporte plus de richesses et d'emplois que la chasse à la baleine !

La péninsule

La fin de notre voyage approche. Pour rejoindre l'aéroport de Keflavik, situé à 40 km au sud de Reykjavik, on traverse la péninsule de Reykjanes. On retrouve les champs de lave que l'on avait aperçus rapidement lors de notre atterrissage. Pour profiter au maximum de notre périple, on a prévu deux étapes : l'une au site géothermique de Seltún, l'autre, une station thermale mondialement connue, le Blue Lagoon.

Avant d'arriver au champ de Seltún, bref arrêt devant des séchoirs à poissons. Bref, car l'odeur nauséabonde des morues en train de sécher devient vite insupportable !

La piste longe le lac de Kleifarvatn. Après un tremblement de terre en 2000, il s'est en partie vidé à cause d'une fissure dans le fond du plan d'eau, disent des géologues.

de Reykjanes

Seltún

Après l'odeur des morues, vive l'odeur du soufre! Le site n'est pas très étendu mais intéressant : ça bouillonne, ça fume, ça crache! De chaque côté des pontons en bois, on observe des bassins de boue en ébullition, des solfatares, le tout dans un joli décor ocre oxydé… si le soleil est de la partie! On se croirait presque sur Mars! Le site est très actif : la péninsule de Reykjanes est en effet située au milieu de la faille qui traverse l'île du sud-ouest au nord-est.

Le Blue Lagoon est un lac artificiel, dont la température chaude de l’eau varie entre 30 et 39°C, pour le plus grand bonheur des baigneurs.

Les Islandais adorent se baigner dans les piscines naturelles quel que soit le temps qu'il fait.

Le Blue Lagoon

Dernière étape avant le décollage de notre avion et endroit très prisé des Islandais et des touristes, nous voici au Blue Lagoon (le « lagon bleu »). Ce n'est pas une source d'eau chaude naturelle mais un lac artificiel formé par l'eau de couleur bleue rejetée par une usine géothermique. Cette dernière alimente la ville toute proche de Grindavik en eau chaude et chauffage.

La couleur bleue est extraordinaire, même par mauvais temps ! Ce sont les silices en suspension dans l'eau qui lui donnent cette couleur.

Les eaux saumâtres sont aussi riches en sels : le Blue Lagoon est réputé pour soigner les maladies de peau. C'est surtout l'occasion de se baigner dans une eau à 40 °C, entouré de nuages de vapeur et dans un décor irréel de champs de lave. Magique !

Perdus dans nos pensées, nous songeons dans l'avion à tout ce que l'Islande nous a offert : champs de lave et de mousse au vert fluo, volcans endormis mais qui fument encore, cascades géantes dans des décors de rêve, falaises envahies par les oiseaux de mer, eaux pures et cristallines des lacs… L'Islande est une terre merveilleuse et incroyable. On n'a qu'une seule envie, revenir…

Tu veux apprendre à dessiner les runes islandaises ? Ce sont les signes correspondant aux anciennes lettres nordiques. Voici son alphabet !

A	B	C	D	E	F	G	H	I	J
K	L	M	N	O	P	Q	R	S	T
U	V	W	X	Y	Z	Þ	Æ	Ö

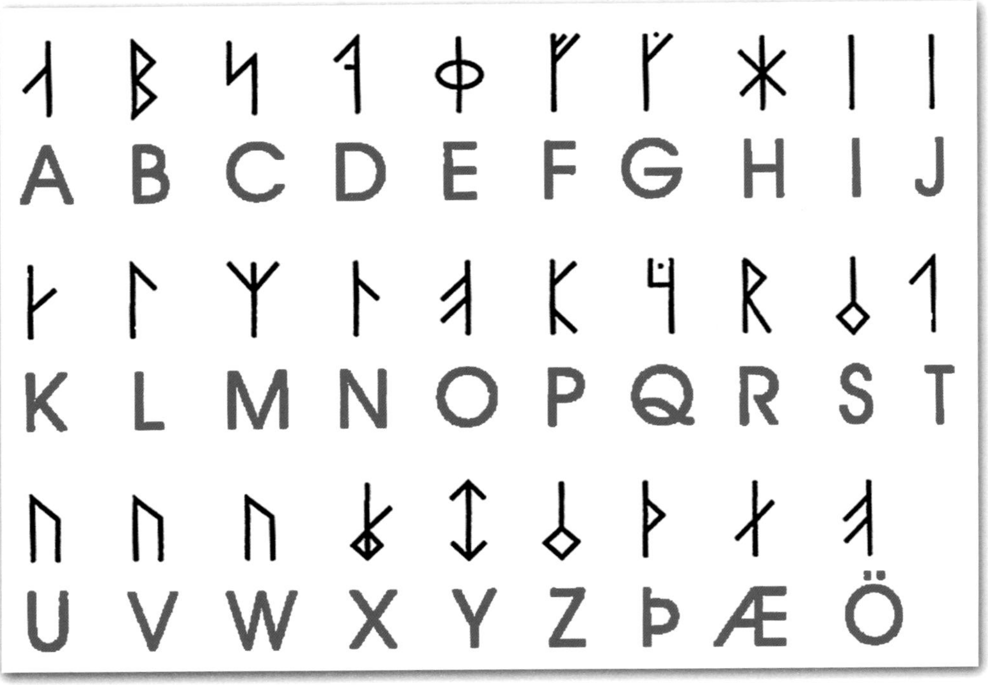

Petit lexique

Un glacier : la neige, transformée petit à petit en glace, s'accumule. Cette masse de glace forme soit une coupole dans les régions polaires, soit suit la forme des vallées de montagne pour ne plus changer. 98 % de l'eau douce de la Terre est contenue dans les glaciers.

Un fjord est une vallée très encaissée et étroite formée par les glaciers, entourée par des côtes très hautes et envahie par la mer.

Un sérac est un grand bloc de glace provoqué par la cassure d'un glacier.

Une moraine est un amas de débris, des roches par exemple, qu'un glacier a transportés lorsqu'il glisse.

Les plaques tectoniques : la croûte terrestre est composée de plaques sans cesse en mouvement (provoqué par le déplacement du magma dans le manteau terrestre). Les plaques passent les unes sous les autres, un peu à la manière d'un tapis roulant.